Chihuahua

Ann Hearn

Dibujos por: Yolyanko el Habanero

HISPANO
EUROPEA

Consulte nuestra web:
www.hispanoeuropea.com

IMPRESO EN ESPAÑA   PRINTED IN SPAIN

LIMPERGRAF, S. L. - Mogoda, 29-31 (Pol. Ind. Can Salvatella) - 08210 Barberà del Vallès

Índice

Conocer al
Chihuahua

Existen numerosas teorías sobre el origen del Chihuahua pero la raza, como indica su nombre, proviene de Chihuahua, estado mexicano colindante con los estados de Texas y Nuevo México.

Se han planteado muchas teorías diferentes sobre la remota historia de la raza. Entre ellas, las que consideran que fueron los chinos quienes la llevaron a México y, por ende, que es de origen chino.

Otros adjudican un vínculo con los perros sin pelo de México y Perú. Aunque ninguno de ellos es tan pequeño como el diminuto Chihuahua, la variedad más pequeña –son tres– de Perro sin pelo Mexicano (Xoloitzcuintle), produce ocasionalmente perros de talla más pequeña que lo normal.

Otra teoría plausible es que los ancestros de la raza llegaron de Egipto o Sudán, y que fueron llevados a Malta a través del Mediterráneo, donde se sabía de la existencia de un «perro de bolsi-

Sea cierto o no que el Chihuahua está realmente emparentado con el zorro Feneco, los dos comparten algún parecido, especialmente en las orejas y los ojos.

llo». Es interesante señalar que tanto el «Maltés de bolsillo» como el Chihuahua presentan mollera o fontanela en el cráneo. La mollera se produce porque las brechas craneales no se les cierran como a los otros perros. Claro que no podemos descartar la posibilidad de que el Chihuahua haya sido llevado a Malta, en lugar de llegar a América desde Malta.

Posiblemente la más extraña teoría sobre el origen del Chihuahua es la que lo hace descender del zorro feneco, nativo del Sahara africano. La mente se rehúsa a creerlo, pero antes de descartar como improbable esta última sugerencia, considere que, en la década de 1980, un feneco fue cruzado exitosamente ¡con un Chihuahua!

No caben dudas de que los perros pequeños eran altamente estimados en América del Norte. Esto se confirma por el hallazgo, en una excavación en Kentucky, de los restos de 21 perritos. Los enterramientos se remontaban a 3.000 años a. de C. Ha habido muchas otras excavaciones que han puesto al descubierto cánidos pequeños, incluso en

Existen varias teorías acerca del desarrollo del Chihuahua, pero lo más probable es que la raza se haya originado en México.

La variedad de pelo largo fue desarrollada después de que el Chihuahua se hubiera asentado como raza de pelo corto.

5

Yucatán, lo que ha resultado muy significativo.

Ahora, investigando la historia más reciente de Chihuahua, el imperio tolteca de México alcanzó su máximo esplendor cerca del año 900 d. de C. El perro de los toltecas puede conocerse por las esculturas conservadas en el monasterio de Huejotzingo, levantado alrededor de 1530 y construido con materiales tomados de las pirámides de Cholula, que fueron edificadas por los toltecas. El monasterio se encuentra en la carretera que va de Ciudad México a Puebla. Estas tallas muestran una cabeza y un perfil completos de un perro muy parecido al Chihuahua que conocemos hoy en día.

La civilización tolteca se concentró principalmente alrededor de Tula, cerca de lo que es hoy Ciudad México, y es justamente en esta área donde tuvieron lugar la mayor parte de los primeros descubrimientos. Se encontraron perros en antiguas ruinas cerca de Casas Grandes, que se cree son las ruinas de un palacio construido por el emperador Moctezuma I,

quien reinó a partir de 1440. A partir de las reliquias encontradas se supone que el perro llamado Techichi tenía el pelo largo y rojizo, y que era mudo; además existe una teoría que sostiene que algún perro pelón de pequeña talla fue eventualmente cruzado con el Techichi. Habría sido llevado de Asia a Alaska y de ahí a México, y ello explicaría la aparición del Chihuahua, que es más pequeño, ladra y tiene el pelo corto. Es una teoría que tampoco puede ser descartada.

Parece bastante cierto que el Techichi de los toltecas es el ancestro directo de nuestro Chihuahua. Los aztecas conquistaron a los toltecas, y ellos también conocían al Techichi, que usaban en sus sacrificios religiosos junto a los perros pelones. Los perros constituían iconos sagrados de las clases altas y se los usaba tanto para expiar pecados como para guiar a los espíritus de los muertos. Eran sacrificados y enterrados junto a los restos de sus dueños para que los pecados humanos fueran transferidos a los perros. Esto garantizaba el acceso seguro al lugar de descanso espiritual. Durante un tiempo los toltecas ricos consideraron a los perros azules como sagrados, pero las clases más pobres no tenían necesidad de tales perros, y se cree que los usaban como alimento, a pesar de su pequeña talla.

Se cree que los españoles los usaron como fuente de alimento, pero es posible que algunos encontraran refugio en el seno de familias campesinas y otros escaparan a la selva.

Pasó el tiempo y el Chihuahua, milagrosamente, sobrevi-

Se dice que la variedad de pelo largo se desarrolló a partir de cruzamientos con el Pomerania y el Papillon; es notoria la similitud con ambas razas.

El imperio azteca fue la primera civilización americana en caer ante el empuje de los españoles, y no existe prácticamente ningún dato sobre los perros que existían en aquella región en la primera parte del siglo XVI.

vió, así que en el siglo XIX podía encontrársele en todo México. Del propio estado de Chihuahua, unos turistas estadounidenses se llevaron dos parejas en algín momento de la década de 1850, y los apodaron «Chihua-

Conocer al Chihuahua

huas». En 1884 había mexicanos vendiéndoles estos perros a los turistas en los mercados fronterizos, a los cuales llamaban perros «mexicanos», «texanos» o «de Arizona», ¡según dónde se produjera la venta!

Así llegó la raza a Norteamérica. El *Libro de Orígenes del American Kennel Club* (AKC), la

No importa el manto que le cubre, largo o corto, debajo encontraremos al mismo inteligente perro. La expresión del Chihuahua le da a la raza esa actitud de «perro grande» y seguro de sí.

El nombre de la raza se deriva del estado mexicano del mismo nombre. La primera pareja de perros Chihuahuas que llegaron a Estados Unidos provenían de Chihuahua, México.

Conocer al Chihuahua

El Chihuahua presenta una amplia gama de colores, patrones y marcas, en ambas variedades de pelo.

sociedad canina nacional de Estados Unidos, hace referencia en 1890 a cuatro perros no registrados llamados *Anno, Bob, Eyah* y *Pepity*. Luego, en 1894 se hace mención de dos Chihuahuas más, *Chihuahueria* y *Nita*. Está claro que la raza había despertado un firme interés, y en 1904 fue reconocida oficialmente por el AKC. Es conmovedor que el primer Chihuahua registrado por el AKC se llamara *Midget* «enanillo». El Club Chihuahua de Estados Unidos *(Chihuahua Club of America)* fue fundado en 1923. En México, tierra ancestral de la raza, el Chihuahua no fue oficialmente registrado hasta 1934.

En Reino Unido existían Chihuahuas como mascotas desde la década de 1850, pero el primer ejemplar se registró en 1907. En 1949 se fundó el club especializado, pero en ese entonces y debido sobre todo a la Segunda Guerra Mundial, sólo había ocho

Esta preciosa pareja disfruta del panorama desde su ventajosa posición ien la cima de los perros miniatura!

Chihuahuas registrados en Reino Unido. La raza no fue oficialmente reconocida hasta 1954, y su popularidad creció bastante lentamente hasta que en 1963 se disparó de pronto como la raza con el tercer registro más alto dentro del Grupo de los Perros Miniatura. Su popularidad dentro de ese grupo sólo era superada por el Yorkshire Terrier y el Pequinés.

Mantos cortos y largos

Actualmente se conocen bien las dos variedades de manto en el Chihuahua, pero no siempre fue así. Aunque las excavaciones nos dicen que el Techichi original puede haber sido un perro de pelo largo, la raza se desarrolló con el pelo corto. La variedad de pelo largo surgió a partir de cruces con otras razas miniatura

---

Además de tener un pelaje de mayor longitud en todo el cuerpo, la variedad de pelo largo posee un collarín más abundante alrededor del cuello y más flecos en torno a las orejas.

de pelo largo, sobre todo con el Papillon y posiblemente también el Pomerania. En Estados Unidos ambas variedades se separaron en 1952, y en el Reino Unido fueron clasificadas por separado por primera vez en el Crufts de 1965. Un año después se separaron en Australia. Es interesante señalar que, por lo menos en lo que atañe al último siglo, no hubo Chihuahuas de pelo largo en México hasta alrededor de 1959. En algunos países, los Chihuahuas de pelo largo y de pelo corto pueden cruzarse entre sí, pero en otros no está permitido hacerlo.

CONOCER AL CHIHUAHUA

Resumen

■ A pesar de las diferentes teorías que existen sobre su origen, el Chihuahua se considera fundamentalmente como una raza de origen mexicano.

■ El antecesor del Chihuahua es probablemente el perro Techichi de la civilización tolteca de México. Toltecas y aztecas consideraban a algunos de estos perrillos como sagrados.

■ La raza cruzó la frontera hacia Estados Unidos a mediados de la década de 1850. Actualmente está entre las razas de perros miniatura más apreciadas en muchos países del mundo.

■ La variedad de pelo largo surgió como resultado del cruce con otras razas miniatura. En la actualidad, ambas variedades, la de pelo largo y la de pelo corto, están bien establecidas.

Estándar y
descripción de la raza

«Meñique canino con ínfulas de machazo».

Esta descripción le sienta bastante bien al Chihuahua, raza por demás encantadora, alerta, animosa, amorosa e inteligente. Este perrillo autosuficiente le hará frente resueltamente a cualquier perro, no importa cuán grande sea, por lo que no nos queda más remedio que aceptar que no tiene conciencia de su diminuta talla, excepto ¡cuando le conviene!

Aunque se considera al Chihuahua como una «raza cabeza», pienso que lo primero que llama la atención del observador casual es su pequeño tamaño. Después de todo, ¿quién no sabe que el Chihuahua es la raza más pequeña del mundo? Los estándares de la raza varían ligeramente de un país a otro, y el del AKC sólo afirma que se trata de un «perrillo bien balanceado que no pesa más de 2,8 kilos». En Reino Unido, aunque puede llegar a tener ese pe-

Una mirada a los ojos del Chihuahua dice mucho acerca de su inteligencia y actitud. Es una expresión verdaderamente inolvidable.

so, se prefiere que pese entre 900 y 1.800 gramos. El estándar de la Federación Cinológica Internacional (FCI), que es el que rige en muchos países, señala que sólo ha de tenerse en consideración el peso y no la talla. El peso puede estar entre los 450 gramos y los 2.800, preferiblemente entre 900 y 1.800 gramos; los perros que superen ese peso son descalificados como perros de exposición.

La raza más pequeña con la personalidad más grande. Los Chihuahuas son actores naturales y por eso son muy populares en las exposiciones. Este perro está entrenado para asumir la postura de exposición, o sea, para «posar».

Los expertos consideran que la cabeza del Chihuahua es su rasgo más distintivo, con su cráneo en forma de manzana, mejillas y mandíbulas secas, y hocico más bien corto y puntiagudo. Puede tener o no mollera, esa grieta craneal que no cierra con la madurez. Los grandes y redondos ojos, bien separados entre sí, no son saltones, y su centro está en línea con el punto más bajo de las grandes y acampanadas orejas y con el bien definido *stop*. El color de los ojos puede variar, así como el pigmento, de acuerdo con el color del perro. La expresión insolente del Chihuahua, cuando uno la ha visto, ¡no puede olvidarla!

Típico Chihuahua de pelo corto con buena cabeza, buenas proporciones y portando la cola como una hoz.

CORRECTO INCORRECTO

Dorso demasiado corto,
extremidades traseras débiles
y demasiado anguladas.

Estructura corporal, balance
y proporciones correctas, ilustrados
en ambas variedades, la de pelo corto
y la de pelo largo

Implantación y porte de cola correctos
en ambas variedades, con la cola elevada
sobre la grupa.

Dos ejemplos de portes
de cola atípicos.

La cabeza está colocada sobre un cuello ligeramente arqueado, de mediana longitud, que desciende graciosamente hacia unos hombros secos y bien inclinados. La línea superior es pareja, las costillas redondeadas pero no abarriladas, y el pe-

Aunque es una raza diminuta y delicada, el Chihuahua tiene extremidades posteriores musculosas, que le dan un buen impulso trasero y le ayudan a moverse de manera viva y enérgica. No es característica la zancada alta o el paso *hackney*. Los

Chihuahua de pelo largo con su manto completo y magníficamente acicalado.

cho, profundo. El Chihuahua es ligeramente más largo –medido desde la punta de la escápula hasta la punta del anca– que alto, aunque en los machos los cuerpos suelen verse algo más cortos.

pies no deben estar vueltos ni hacia fuera ni hacia dentro, y las patas, vistas en movimiento, no deben aparecer ni muy separadas ni muy juntas. Los metacarpos y metatarsos son flexibles, y los pies, pequeños y delicados;

los dedos están bien separados, pero no desparramados.

La cola es más bien especial. De longitud mediana, apariencia aplanada y colocación alta, va por encima del dorso en forma de hoz. El estándar dice que el perro «la porta en forma de hoz, elevada o hacia fuera, o en forma de ojal sobre el dorso, con la cola sólo rozándolo». Lo ideal es que sea aplanada, ligeramente ensanchada en el centro y que se afine hacia la punta.

Ésta es la descripción general de esta raza pequeña y encantadora pero, como sabemos, hay dos tipos de pelo. La variedad de pelo corto tiene un manto de textura suave, pegado al cuerpo y lustroso. Se le permite el pelaje interno y el collarín. El pelo de la cola debe ser preferentemente espeso.

Para su tamaño, el Chihuahua tiene un pecho bastante profundo y ancho.

El cráneo amanzanado, los ojos grandes, las orejas acampanadas y el hocico corto se combinan para otorgar a esta «raza cabeza» una apariencia diferente.

Estándar y
descripción de la raza

Cachorro de ojos
claros, bella
coloración, expresión
chispeante y
ibrillante futuro!

Los Chihuahuas de pelo largo también tienen un manto de suave textura, que puede ser lacio o ligeramente ondulado. El pelo no debe ser nunca tieso ni rizado, tosco o áspero al tacto. Las orejas, los pies y las patas tienen flecos, y las traseras, «pantalones». Es deseable un gran collarín; la cola debe ser larga y llena, formando penacho. El manto es doble, lo que quiere decir que bajo el más duro pelo externo (más duro que el algodón, ¡pero suave!) tiene un pelo interno suave y espeso.

Ahora ya sabe cómo luce un Chihuahua y, probablemente, se sentirá aliviado de saber que los colores del pelaje ¡no importan!

El Chihuahua se ha hecho popular en todo el mundo y, aunque los estándares para la raza varían en algunos países, los criadores intentan preservar el mismo tipo básico. Este ejemplar nos saluda desde Alemania.

ESTÁNDAR Y DESCRIPCIÓN DE LA RAZA

Resumen

■ El estándar de la raza, aprobado por la asociación canina nacional, describe al Chihuahua ideal detallando su conformación física, carácter y movimiento.

■ La cabeza, el rasgo más prominente, tiene el cráneo amanzanado.

■ El pelaje puede ser largo o corto. No hay restricciones en cuanto al color.

■ La cola es otro rasgo especial. Es aplanada, y va en alto sobre el dorso al estilo de una hoz. La cola del Chihuahua de pelo largo es como un penacho.

¿Es la raza adecuada para usted?

No necesita un par de orejotas ni pesar menos de un kilo y medio, pero sí reaccionar con rapidez y estar imuy alerta! para conservar a su Chihuahua.

Ha escogido una mascota liliputiense con actitud de coloso, de modo que si no es una de esas personas que está volcada hacia el exterior, no le quedará más remedio que cambiar de personalidad.

Ha escogido a la raza más pequeña del mundo, de manera que si quiere guardárselo en el bolsillo o llevarlo en una mochila a todas partes, no debería tenre problemas.

Sin embargo, debe recordar que este perro es una criaturilla activa, así que no lo deje saltar del bolsillo al suelo. Él puede pensar que es capaz de hacerlo, pero el suelo está muy distante para alguien tan diminuto.

Sin duda encontrará enormemente conveniente el minúsculo tamaño de este perro. Si viaja mucho, siempre puede

Éste, «el más pequeño de los perros de guarda», patrulla su territorio dando lo mejor de sí, con una confianza y una actitud que desbordan ampliamente su escaso tamaño.

acomodarlo en un porta mascotas. ¡Es un gran compañero de viaje! Es tremendamente leal y siempre quiere estar cerca de su amo, de modo que debe aceptar esto desde un inicio. Su vida no volverá a ser sólo suya nunca más, ¡contará con muy poca privacidad!

Si está decidido a ser realmente un buen dueño de Chihuahua, tendrá que aprender a aceptar la curiosidad y diabluras de su perro. Lo mejor es que se ría con sus juegos, así, cuando él decida hacer trizas el comprobante de pago del alquiler de la casa, ¡estará listo para soltar la carcajada!

Si usted es el tipo de persona que disfruta paseando a su perro, tendrá que tener cuidado adonde lo lleva, especialmente si en los alrededores hay lebreles –son perros que cazan a la vista– porque pueden divisarlo desde la distancia y confundirlo con una liebre. Como el Chihuahua es tan activo, podrá ejercitarlo fácilmente en su propio patio, siempre acompañándolo, y sumársele en algunos de sus juegos. Él lo amará desmesuradamente y esperará

El Chihuahua es una criatura extrovertida que no tiene miedo de vocear su opinión.

Los Chihuahuas son excelentes mascotas para las personas que tienen el tiempo y la inclinación de mimar a sus animalitos. Son auténticos y extraordinarios falderos que disfrutan de todas las comodidades del hogar.

¿Es la raza adecuada para usted?

Al Chihuahua, la raza más portátil, su dueño puede llevarlo en brazos a casi todas partes.

La gente que gusta del sol encontrará en el Chihuahua un compinche con la misma inclinación, pero no hay que olvidar que el sol y el calor en exceso no son buenos ni para el perro ini para las personas! Cuando se encuentre con su diminuto compañero al aire libre, esté al tanto siempre de su comodidad y seguridad.

que usted lo ame de la misma manera.

Incluso si vive en un apartamento, es seguro que hallará lugar para el Chihuahua. En este caso, resulta obvio que tendrá que sacarlo para que haga ejercicios, y lo más conveniente suele ser mantenerlo siempre con la correa puesta. Debido a que los Chihuahuas pueden perder rápidamente el calor corporal, si vive en un clima frío, es útil –y se divertirá haciéndolo–

seleccionar para él algunos atractivos y cálidos abrigos para canes. En verdad, no es mala idea crearle su propio guardarropas en miniatura.

Si tiene chicos alborotadores en la familia, entonces su hogar puede no ser el adecuado para el Chihuahua. Si vive solo y dispone de mucho tiempo para prodigar cariños y mimos a su mascota, entonces es usted el dueño adecuado. Algunos dicen que los Chihuahuas no son pe-

¿Es la raza adecuada para usted?

El siempre alerta Chihuahua está sintonizado con su dueño y con su entorno. Lo único que parece desconocer es que no es más que ¡un perrito!

rros, sino bebés «cuadrúpedos». Y ¿qué mejor bebé podría alguien desear? De modo que, si desea acrecentar su familia, ¿por qué no hacerlo con un Chihuahua? ¡A mí me parece lógico!

De vez en cuando, ocupará su tiempo haciendo un poco de «peluquería». Además del acicalado regular, el Chihuahua suele necesitar un baño al mes, aunque la variedad de pelo largo puede bañarse con más frecuencia. Es algo divertido. ¡A usted le encantará!

Finalmente, si es un adorador del sol, disfrutará de un acompañante canino dispuesto a compartir su placer. Puede que no haya suficiente sol en su patio como para sentarse a tomarlo fuera, pero si aparece el más mínimo rayo, esté convencido de que su Chihuahua lo encontrará. Usted sólo ocúpese de que ninguno de los dos se tueste o sea víctima de ¡una insolación!

En poco tiempo, su Chihuahua le estará prodigando cariño y atención a mares, y sabrá si es el dueño adecuado cuando descubra que está listo para devolverle lo mismo.

¿ES LA RAZA ADECUADA PARA USTED?

Resumen

■ La persona idónea para el Chihuahua está preparada para compartir su vida, hasta el más mínimo detalle, con su diminuto y leal compañero. El Chihuahua necesita un dueño que disfrute pasando el tiempo con su perro y que le retribuya su devoto amor.

■ La persona idónea para el Chihuahua no necesita vivir en un lugar muy grande para albergar cómodamente a su perro, pero debe tomar las medidas necesarias para asegurarle ejercicio fuera de casa, y para enseñarle la educación básica.

■ El propietario de un chihuahua tiene un compañero canino fácil de transportar, que disfruta acompañando a su dueño a todas partes.

■ La persona idónea para el Chihuahua ha de estar pendiente de la seguridad de su perro en todo momento.

Selección
del criador

El paso del tiempo no habrá conseguido hacer crecer al Chihuahua, pero no puede decirse lo mismo de su popularidad, y hoy, las dos variedades de pelo son conocidas en la mayoría de los países del mundo.

Eso significa que hay un buen número de criadores de Chihua-huas entre los cuales seleccionar uno, aunque no todos son igual-mente buenos. Se trata de un perro de bolsillo, barato de man-tener y que no necesita mucho espacio, condiciones todas que pueden resultar atractivas para criadores irresponsa-bles que están detrás del dinero. Si tiene que es-perar por un cachorro del criador que haya seleccionado, no se impaciente. El tiem-po que espere valdrá la pena.

Los compradores po-tenciales de cachorros de-ben tener presente en todo momento que hay clases dife-rentes de criadores, algunos que trabajan de corazón por los me-jores intereses de la raza y otros,

Busque un criador que le hayan recomendado muy expresamente, con una reputación excelente y que, a todas luces, ame a la raza.

menos consagrados. Es esencial localizar a uno que no sólo tenga los perros que a usted le gusten, sino también una ética de crianza que compartan. Lamentablemente, en todas las razas hay invariablemente algunos «que están en ellas simplemente por dinero», y debe ponerse al resguardo de ellos.

Bajo ninguna circunstancia compre el cachorro en una granja dedicada a la cría indiscriminada de perros de multitud de razas porque, al hacerlo, estará llenando los bolsillos de un criador carente de ética. Pregúntese honestamente, en el caso de que fuera usted criador de perros, si no le gustaría saber exactamente quién es quien compra los cachorros que ha criado con tanto esmero. No dejaría tranquilamente el asunto en manos de un negociante. El buen criador entrevistará a los dueños potenciales para asegurarse de que sus cachorros van a vivir en buenos hogares.

Una vez aclarado el punto debemos decir que hay muchos buenos criadores de Chihuahua

Cuando visite la camada, debe conocer al menos a uno de los padres. La madre debe estar presente, así se llevará una buena idea de cómo serán la apariencia, salud y el temperamento de los cachorros cuando crezcan.

Probablemente, el criador tendrá otros Chihuahuas adultos en el criadero. Conozca a todos los perros y observe cómo interactúan entre sí.

y, si se esfuerza, encontrará a la persona adecuada. La sociedad canina nacional y los clubes especializados son confiables fuentes de información y medios para establecer contacto con criadores de respeto. Aun así, es necesario que los conozca personalmente para comprobar que sus criterios acerca del cuidado que debe darse a los perros, coinciden con los suyos. Debe asegurarse que el criador conoce la raza profunda e íntegramente, y que ha planificado con cuidado el nacimiento de los cachorros, teniendo en cuenta la salud, la pureza y los pedigríes de su plantel de cría.

El criador que seleccione debe criar en su propia casa, en cuyo caso se supone que los cachorros habrán sido educados dentro del hogar y estarán familiarizados con las actividades y los ruidos domésticos. Es poco probable encontrar un criador de Chihuahuas que tenga a sus perros en una perrera. A los perros pequeños no les sienta ese ambiente.

No importa cuán grande o pequeño pueda ser el criadero, lo importante es que las condiciones donde se críen los cachorros sean las adecuadas. Debe haber limpieza y supervisión. Todos los cachorros deben estar en óptimas condiciones y su temperamento debe ser correcto, o sea que se mostrarán divertidos y llenos de confianza.

El criador debería estar muy dispuesto a mostrarle a la madre, y será interesante que tome cuidadosa nota de su temperamento y de cómo interactúa con los cachorros. Si no es posible ver a la madre, puede ser una indicación de que los cachorros no han nacido allí y que los han traído para ser vendidos, circunstancia ¡muy lejos de la ideal!

Con relación al padre, es probable que no se le pueda ver porque puede que sea otro su dueño. Un criador cuidadoso puede viajar miles de quilómetros con su perra para cruzarla. No obstante, si es una persona verdaderamente consagrada podrá, al menos, mostrarle alguna foto y el pedigrí del padre, además de poder hablarle sobre él.

Un criador bien seleccionado será una guía útil para el

Si está interesado en un Chihuahua con fines de exposición, debe hacérselo saber claramente al criador cuando visite la camada, y seguir su consejo acerca del cachorro más prometedor.

Selección del criador

dueño novel, porque lo asesorará en muchas cosas, incluida la alimentación. Algunos criadores dan a los nuevos propietarios pequeñas cantidades de comida cuando se llevan a los cachorros; en cualquier caso, los criadores siempre deberán proporcionarles una minuta escrita con el tipo, la regularidad y la cantidad de comida que les están dando a los perrillos, así como sugerencias sobre el cam-

bio de dieta cuando el cachorro madure. Claro que usted podrá hacer cambios a medida que pase el tiempo, pero deberán ser graduales.

En el momento de la venta, el criador también deberá explicarle cuáles son las vacunas que le ha puesto al cachorro, si es que ya le ha puesto alguna, y entregarle cualquier otra documentación relacionada con la salud del animal. En ese instan-

Es importante observar dónde se crían los cachorros. Es mucho mejor si están dentro de la casa, con la familia, y no aislados en una perrera.

te deben quedar claros todos los detalles acerca del proceso de desparasitación del perrillo. Muchos criadores dan, además, una garantía sanitaria y/o una póliza temporal junto con el cachorro. Esta idea es particularmente buena, ya que el nuevo propietario puede decidir luego si continúa con ella o no.

Los cachorros buenos provienen de padres buenos. Los buenos criadores se cercioran de que cada cruce tenga como objeto transmitir a la próxima generación sólo los mejores caracteres de la raza.

SELECCIÓN DEL CRIADOR

Resumen

■ Para encontrar un criador serio y responsable, escriba, telefonee o envíe un mensaje electrónico a la asociación canina nacional o al club especializado en Chihuahuas de su país.

■ Conozca lo que debe esperar de un criador y sea paciente en la búsqueda.

■ El criador debe estar tan preocupado por su idoneidad como posible dueño para el Chihuahua que le está vendiendo, como usted debería estarlo por su seriedad como criador.

■ Pregunte por pedigríes, documentos de registro y referencias.

■ El criador deberá informarle sobre la incidencia de enfermedades hereditarias dentro de la línea y mostrarle los certificados de salud de los padres de la camada.

Elegir el cachorro adecuado

Cuando haya decidido cuáles son los criadores que tienen los Chihuahuas que más le satisfacen, estará ansioso por visitar las camadas disponibles.

Muchos criadores permiten que se visite a los cachorros cuando tienen entre cinco y seis semanas, pero por lo general, los Chihuahuas no van a sus nuevos hogares hasta que tienen cerca de tres meses. Aunque devotos de sus dueños, los perros de esta raza pueden ser con frecuencia desconfiados con las personas que no conocen, por eso es de primordial importancia una sociabilización temprana.

El cachorro sano impresiona por su limpieza, por no tener señales de secreción en los ojos ni en la trufa. Su trasero debe verse inmaculado, sin señales de diarreas. Aunque las uñas de cualquier cachorro pueden ser afiladas, no debe tenerlas demasiado largas, lo que da a entender que el criador se las ha recortado cuando lo ha estimado necesario.

Cuando visite la camada observe cómo se relacionan entre sí los cachorros, compruebe si todos y cada uno de ellos está sano, y si son correctos física y temperamentalmente.

El pelaje debe verse en excelentes condiciones, no pegajoso, escamoso ni ralo, y sin rastros de parásitos. No es siempre fácil detectar parásitos, como pulgas y piojos, pero puede sospecharse su existencia si el cachorro se rasca o tiene erupciones.

Pero el hecho de rascarse no siempre significa que haya parásitos o problemas en la piel, pues también puede asociarse a la dentición. En este caso, el cachorro sólo se rasca alrededor de la cabeza. Dejará de hacerlo cuando le haya salido el segundo juego de dientes y no le duelan más las encías.

El rascarse también puede estar asociado a una infección auricular, así que una rápida ojeada al interior de las orejas del posible cachorro a elegir le permitirá asegurarse de que no haya cerumen ni olor de ninguna clase. Claro, un buen criador se cerciora, antes de ponerlos en venta, de que todos los cachorros están sanos.

Los análisis requeridos varían de un país a otro, pero antes de adquirir su Chihuahua debería contactar con la asociación canina nacional para conocer cuáles

Todos los cachorros son irresistibles así que, cuando seleccione al suyo, no olvide usar la cabeza y no sólo el corazón.

Los cachorros deben verse alertas, curiosos y expresivos, indicadores de un temperamento típico y correcto.

Elegir el cachorro adecuado

Los Chihuahuas necesitan que se les sociabilice enseguida con las personas, sin perder de vista que a estos diminutos jovenzuelos hay que tratarles con mucho cuidado. Antes de que la camada tenga la edad suficiente para recibir visitas, el criador y su familia pasan una parte de su tiempo con los cachorros.

son las pruebas de salud genética que deben habérseles realizado a los padres y los cachorros. Debe pedir al criador que le muestre los documentos probatorios de los resultados y las fechas de las pruebas, y no confiar únicamente en su palabra.

La mayoría de los cachorros son desenvueltos y divertidos, así que no le tome lástima al tímido en exceso que se esconde en un rincón. El cachorro que seleccione deberá disfrutar a todas luces de su compañía cuando vaya a visitarle, porque ello favorecerá el establecimiento de un lazo a largo plazo entre ustedes dos. Cuando vaya a seleccionar a su cachorro, lleve a los miembros de su familia con los cuales pasará la mayor parte del tiempo en la casa. Es esencial que todos los miembros estén de acuerdo a la hora de tomar esta importante decisión, porque el nuevo cachorro implicará inevitablemente un cambio en sus vidas.

Ojalá haya investigado la raza todo lo posible antes de tomar la decisión de integrar un nuevo cachorro a su vida. Internet es una gran fuente de infor-

mación, pero debe comprar algunos otros libros sobre la raza, además de éste que está leyendo, que le sirvan de fácil y permanente referencia.

Los clubes especializados son también una fuente importante de ayuda e información. Algunos incluso publican sus propios pequeños folletos plegables sobre la raza, e incluso puede que publiquen un libro de campeones, en el que podrá ver cómo lucían los antecesores famosos de su cachorro. Revise algunas de las revistas caninas semanales o mensuales, que se adquieren mediante suscripciones. La mayoría no se encuentran habitualmente en los quioscos.

Una advertencia para aquellos que decidan buscar en la red información sobre la raza. No vayan a creer que todo lo que encuentre en Internet es la verdad absoluta. En nuestros tiempos, cualquier persona puede crear un sitio en la red y escribir lo que le plazca, incluso careciendo del conocimiento suficiente para hacerlo. Puede acceder al sitio del Club Estadounidense del Chihuahua –*The Chihuahua Club of Ameri-*

Elegir el cachorro adecuado

¿Camino de convertirse en un «sofá-adicto»? De muy buena gana su Chihuahua tomará posesión de su butaca preferida, pero aun así sobrará espacio ipara compartirlo con usted!

ca– en la siguiente dirección: *www.chihuahuaclubofamerica. com*, y del AKC en: *www.akc.org*. Ambas instituciones son fuentes fiables para obtener información auténtica, como también lo son el club de la raza o la sociedad canina central de su país.

Finalmente lo mejor es hacerse miembro de por lo menos un club especializado en Chihuahuas. Al hacerlo, recibirá notificación sobre los certámenes específicos de la raza en los cuales tal vez le interese participar ya que no son sólo nuevas oportunidades para aprender sobre el Chihuahua, sino también oportunidades para conocer personas vinculadas a la raza.

ELEGIR EL CACHORRO ADECUADO

Resumen

▨ Visite la camada para conocer a los cachorros personalmente. Lo que busca son perrillos sanos y correctos. El adjetivo «gracioso» no califica la calidad de un perro de raza, aunque unos ojos brillantes, un pelaje lustroso y un temperamento alerta sí que dicen mucho.

▨ Confíe en el criador que haya seleccionado para que le venda un cachorro genéticamente puro y sano, que se adapte a su estilo de vida y personalidad.

▨ Investigue todo lo que pueda sobre la raza antes de visitar la camada, para que sepa qué debe buscar en el criador y el cachorro, así como también qué es lo que puede esperar al incorporar un Chihuahua a su familia.

▨ Si pretende exponer a su perro, dígaselo al criador.

▨ El club especializado de la raza es una maravillosa fuente de información: pertenecer a él le brinda la oportunidad de vincularse más profundamente a ella.

Llegada a casa del cachorro

Su Chihuahua no ocupará mucho espacio en la casa, pero como todo debe estar perfectamente dispuesto, tendrá mucho que planificar.

Es necesario asignarle un lugar cómodo para dormir, un espacio seguro, cálido y lejos de las corrientes de aire. Tanto el patio de la casa como cualquier otra área que sirva para que el perro se ejercite tiene que ser absolutamente segura. Además, necesita algunos accesorios para el cachorro, sin descontar, claro, su propia comida especial. Pronto podrá recoger al Chihuahua para traerlo a casa. Y para cuando llegue ese día trascendental, lo mejor es tener la tranquilidad de que todo está listo en casa.

Esperamos que haya tenido la oportunidad de ver y seleccionar su cachorro antes de la fecha de la recogida. Si ha sido así, habrá tenido mucho tiempo para enterarse, conversando con el criador, qué es lo que exactamente necesita el cacho-

Algunos Chihuahuas ¡viajan con estilo! Este «rey de las carreteras» tiene su propia puerta de acceso al vehículo de recreo familiar: ¡eso sí que es viajar!

rro para disfrutar de una vida sana, segura y feliz.

Dependiendo del lugar donde viva, probablemente tendrá fácil acceso a una de esas grandes tiendas para mascotas, o a una de gan calidad y de carácter privado. Si puede encontrar una cuyos dueños presenten a sus propios perros en exposiciones, verá cómo suelen tener un amplio surtido de accesorios especiales, y es casi seguro que podrán ofrecerle buenos consejos a la hora de comprar lo que necesita. Las principales tiendas para perros también tienen, por lo general, variados estantes con toda suerte de artículos para perros, tantos, que ¡se sentirá abrumado a la hora de escoger!

Va a necesitar algún equipamiento para acicalar a su cachorro de Chihuahua, y a lo mejor tiene que incrementarlo cuando él madure. A esta edad temprana, sus principales necesidades serán un cepillo suave y un peinecillo de goma, tipo almohaza. También necesitará un cortaúñas para perros. Es casi seguro que ya tiene en su hogar los otros accesorios: bolitas de algodón, y toallas.

Su Chihuahua apreciará mucho pasar tiempo en el patio, estirando sus patitas. Será necesario tener un cercado seguro, y librar al patio de pesticidas, productos químicos, plantas venenosas y cualquier otro peligro potencial para el perro, de manera que éste pueda disfrutar del aire libre sin riesgos de ninguna clase.

¿Cómo reaccionarán las otras mascotas ante el Chihuahua? Tal vez no reaccionen en absoluto. Éste está tratando de llamar la atención de su amigo Chesapeake, sin ningún resultado.

Es muy importante considerar cuidadosamente el lugar donde el cachorro va a dormir, y deberá comenzar a acostumbrarlo a lo que será definitivo. Es completamente natural que el recién llegado se muestre inquieto las dos o tres primeras noches, pero si le toma lástima a esa pequeña alma desamparada y le permite pernoctar en su dormitorio, él contará con que va a estar ahí ¡para siempre! Por eso es esencial que le prepare el lecho de la mejor manera, para que descanse lo más cómodamente posible en el lugar indicado.

El lecho que elija para el Chihuahua va a depender de su gusto personal, pero la mayoría de los dueños prefieren adiestrar a los perros para que duerman en sus jaulas, ya que ellas ofrecen otras muchas otras ventajas en cuanto a la educación

¡Vamos a conocernos! Los Chihuahuas se llevan bien con los otros perros y mascotas, si los primeros contactos entre unos y otros se han hecho correctamente y si se les da tiempo y espacio para conocerse mutuamente.

doméstica, y aportan seguridad. Tenga presente que al cachorro no le va a venir bien una jaula demasiado grande, una pequeña bastará para acomodar al diminuto Chihuahua, tanto de cachorro como de adulto.

coger una jaula duradera que pueda lavarse o limpiarse con un paño. En ella se puede colocar un cobertor o colchoneta suave y cómoda, lavable, porque es importante que el lecho del perro esté limpio y seco. También de-

El collar es uno de los accesorios importantes para el Chihuahua, porque no sólo sirve para atar la correa, sino para adjuntar la chapita de identidad.

Las camitas de mimbre se ven preciosas, pero son peligrosas porque los cachorros las mordisquean y las puntas rotas de este material pueden causarles heridas en los ojos, e incluso puede que hasta se traguen algún fragmento. Lo mejor es es-

be seleccionar una jaula que esté un poco levantada del suelo o cuya estructura sea tal que pueda evitar las corrientes de aire.

Aunque el Chihuahua es diminuto, puede ser muy travieso. Quizá los objetos domésticos cotidianos puedan parecerle inofensivos, pero un exquisito tapete colgando del borde de una mesa llena de frágiles adornos es ¡tentar al destino! Aún más peligrosos para un cachorro travieso son los cables eléctricos, así que cerciórese de colocarlos fuera de su alcance. Los diminutos dientes pueden atravesarlo todo con demasiada facilidad y provocar accidentes fatales. Muchos productos de limpieza, de jardinería, y químicos, contienen sustancias venenosas, así que, por favor, manténgalos fuera del alcance del curioso explorador. Los anticongelantes son particularmente dañinos; unas pocas gotas pueden matar rápidamente a un perro pequeño.

Cuando traiga el cachorro a casa es natural que se sienta orgulloso de éste, su nuevo compañero, y quiera enseñárselo a sus amigos. Sin embargo, su cachorro está dando un paso tras-

Familiarice a su Chihuahua con la peluquería, acostumbrándolo a mantenerse de pie sobre la mesa de acicalado. Este entrenamiento será de utilidad para las sesiones de acicalado durante toda la vida del animal.

cendental en su pequeña vida, así que los primeros dos o tres días es mejor pasarlos tranquilamente en casa, en compañía de su familia inmediata. Cuando el cachorro se haya adaptado y haya conocido su nuevo entorno, podrá presentárselo a montones de personas. Si tiene niños pequeños, o si visitan su casa, supervise estrechamente el tiempo que pasan en compañía del cachorro. Los chicos también pueden lastimar a un perro pequeño, incluso con las mejores intenciones, y el delicado Chihuahua es especialmente vulnerable.

Si hay otras mascotas en la familia, lo mejor es presentárse-

Su Chihuahua se tomará tiempo para oler las flores, pero algunas de ellas pueden ser tóxicas para los perros. Cerciórese de no tener plantas peligrosas en las áreas que el perro frecuenta.

las al cachorro poco a poco, y siempre bajo supervisión. La mayoría de los Chihuahuas se llevan bien con los otros animales, pero siempre hay que tomar precauciones hasta estar seguros de que van a convertirse en buenos amigos.

LLEGADA A CASA DEL CACHORRO

Resumen

■ Antes de traer el cachorro a casa, prepárese para recibirlo. Tenga todos los accesorios a mano.

■ Defina un área apropiada para que el cachorro duerma y hágalo dormir en ella desde la primera noche.

■ Todos los perros son curiosos y muy capaces de meterse en problemas, así que la mejor manera de proteger la casa y al cachorro es eliminar todos los peligros potenciales dentro y fuera del hogar.

■ No abrume al cachorro los primeros días. Preséntelo gradualmente a todos y déjelo que se aclimate.

El Chihuahua suele comportarse de manera autosuficiente, incluso demasiado envalentonado en ocasiones.

Sin embargo, cuando llegue por primera vez a la casa no le extrañe si se ve falto de confianza. Todo resulta completamente nuevo para él. El panorama, los sonidos e incluso los olores le son extraños, y está en sus manos ayudarlo a ganar confianza y proporcionarle el estímulo necesario en esta primera etapa de adiestramiento.

Comience por acostumbrarlo a los miembros de su familia cercana. Infundirle confianza será de mucha ayuda para su incipiente sociabilización, y pronto podrá presentarle otros familiares, no tan cercanos, y a sus amigos. Por favor, no intente bombardearlo con demasiada gente y situaciones nuevas, todo al mismo tiempo, porque lo abrumará.

Dependiendo de la edad del cachorro, y de la fase en que se encuentre su programa de vacu-

Los Chihuahuas son perros extraordinariamente inteligentes y, por ende, alumnos brillantes que aprenden con rapidez.

nación, puede que no resulte aconsejable sacarlo inmediatamente a lugares públicos. En cualquier caso, le aconsejaría que le permitiera adaptarse a la casa los primeros días antes de llevarlo a otros lugares. Hay muchas cosas que puede hacer con el Chihuahua en su propio domicilio, así que ambos se divertirán de lo lindo, pero también concédale tiempo para que descanse todo lo que necesita.

Si ha de restringirlo a la casa por un tiempo, diviértase con él jugando con los juguetes adecuados, suaves e inofensivos, pero no le permita tirar de ninguna cosa o forcejear demasiado fuerte. Revise sistemáticamente los juguetes para comprobar si están enteros, porque algunas partes filosas o potencialmente peligrosas, como los pitos, pueden haberse desprendido, y el cachorro podría dañarse con ellas. Como tiene los dientes tan afilados, puede destruir fácilmente los juguetes.

Ya sea que planifique o no exhibir al Chihuahua, es aconsejable adiestrarlo desde el primer momento, dejándolo que permanezca tranquilamente sobre

Algunos propietarios prefieren el arnés de nailón al collar tradicional, porque consideran que es más cómodo para los perros pequeños.

La orden de sentarse es un ejercicio fácil y una buena forma de comenzar el adiestramiento del Chihuahua en obediencia.

una mesa y que se deje acicalar suavemente. Ambas costumbres le reportarán utilidad en muchas ocasiones, como cuando lo lleva al veterinario, porque siempre es más fácil tratar con un perro educado. ¡Usted se sentirá muy orgulloso de su listo amigo!

Acostumbre al cachorro a la correa, que es siempre una experiencia extraña para él. Comience poniéndole sólo el collar, no demasiado ajustado, pero tampoco tan suelto como para que se zafe o quede enganchado en algún objeto, lo que le causará pánico y, posiblemente, algún daño. Sólo póngaselo por algunos minutos cada vez, y vaya alargando el tiempo poco a poco hasta que el cachorro se sienta cómodo con su primera prenda textil. No espere milagros, acostumbrarlo al collar puede tomarle algunos días.

Entonces, cuando ya se sienta cómodo con el collar puesto, átele una correa pequeña y ligera. La que seleccione debe tener un cierre seguro, pero debe ser fácil de poner y quitar cuando sea necesario. Hasta ahora, el cachorro no ha hecho sino ir adonde ha querido, por lo que encontrará muy extraño sentirse atado a algo que restringe sus movimientos. Por eso, cuando entreno a mis propios cachorros, me gusta dejarlos que me «lleven» ellos a mí en las primeras ocasiones. Entonces empiezo a ejercer cierta presión, y muy pronto comienzo el adiestramiento formal, con el cachorro acompañándome mientras decido el camino. Es frecuente comenzar adiestrando al cachorro para que camine al lado izquierdo de la persona. Cuando haya conseguido que el suyo lo haga satisfactoriamente, puede intentar colocarlo a su derecha, pero sin prisas. Si se propone exhibir a su Chihuahua, lo usual es que el perro camine a la izquierda del presentador, pero hay ocasiones en que es necesario llevarlo también a la derecha para que el juez lo pueda ver.

A medida que el cachorro crezca, podrá enseñarlo a sentarse, usando siempre una orden monosilábica: *Sit*, «siéntate en inglés», mientras le presiona ligeramente la grupa para mos-

Su cachorro de Chihuahua le admira -con sus enormes ojos- por proporcionarle cuidados, seguridad y educación.

trarle lo que desea que haga. Puede que le lleve algún tiempo, pero verá como pronto lo consigue. Siempre que se lo merezca, elogie al perro efusivamente. Nunca le grite ni se irrite cuando no haga las cosas bien, porque eso será peor. Si el animal está destinado a ser un perro de exposición, puede obviar la orden de sentarse, ya que en la pista se supone que estará todo el tiempo de pie.

Cuando el cachorro de Chihuahua esté listo para ir a los lugares públicos, empiece por llevarlo a sitios tranquilos, que no tengan demasiadas distracciones. Pronto verá cómo se incrementa su confianza, y entonces podrá ir con él a lugares nuevos, donde se tropezará con imágenes, sonidos y olores excitantes. Siempre ha de tener puesta una correa segura de la cual no pueda zafarse, una dife-

El adiestramiento para la jaula se torna muy útil en ocasiones como ésta, cuando los Chihuahuas han de esperar su turno para entrar en la pista de exposición.

Durante el adiestramiento puede que tenga que guiar al cachorro hacia la posición que desea que asuma, hasta que él se dé cuenta de lo que tiene que hacer. Es evidente que, siempre debe manipularlo con cuidado.

rente de la que se usa en las exposiciones. Cuando tengan total confianza el uno en el otro, puede optar por quitarle de la correa, pero nunca le pierda de vista. Cerciórese de que el lugar elegido para soltar al perro sea totalmente seguro y esté completamente cerrado, y también de que no haya perros extraños que puedan aparecer de repente.

Necesitará entrenar al cachorro para que permanezca en la jaula cuando sea necesario, algo que se recomienda tanto para los perros de exposición como para las mascotas. En la mayoría de los países, durante las exposiciones, las razas miniatura se mantienen en sus jaulas por lo menos una parte del tiempo en que no están siendo exhibidas en la pista. Las jaulas son útiles por la protección que brindan durante los viajes y, en casa, la mayoría de

Debido a su talla diminuta, los Chihuahuas sólo usan collares y correas ligeras.

los perros parecen apreciarlas como un lugar seguro donde estar, por lo que no les importa permanecer en ellas durante cortos períodos de tiempo. Cada vez que surja la necesidad, la jaula mostrará su utilidad, proporcionando un confinamiento privado y seguro.

Cuando comience el adiestramiento para la jaula, manténgase a la vista del perro y ofrézcale un juguete o una golosina que ocupe su mente.

Para comenzar, déjelo en la jaula por períodos muy breves, un minuto o dos, y gradualmente vaya incrementando el tiempo. No obstante, nunca deje al perro en la jaula durante demasiado tiempo, porque eso sería cruel. Después de sacarlo, pase siempre algún tiempo jugando con él, o acariciándolo.

PRIMERAS LECCIONES

Resumen

■ Al llegar a la nueva casa, el cachorro necesita algún tiempo para adaptarse, y que el nuevo dueño le estimule esa confianza en sí mismo que le es inherente.

■ Comience presentando el cachorro a la familia y luego, cuando ya tenga puestas las vacunas apropiadas y pueda frecuentar sitios públicos, preséntaselo a otras personas, perros y lugares.

■ Escoja juguetes inofensivos para su Chihuahua y juegue con él.

■ Los ejercicios básicos como el de sentarse, permanecer de pie sobre la mesa de acicalado, y usar collar y correa, deben comenzarse y enseñarse acompañados de mucho elogio.

■ Aprenda las leyes del adiestramiento exitoso de cachorros.

■ La jaula del Chihuahua es una herramienta valiosa porque le provee de un lugar propio y lo mantiene protegido en muchas situaciones.

Al principio, le será difícil aceptar que ese diminuto paquetito de alegría va a ser capaz de hacer cosas indebidas, pero le aseguro ¡que las hará!

En algunos momentos tendrá que regañarlo, aunque siempre con cierta suavidad y si hay una buena razón para hacerlo. El Chihuahua es muy listo e inteligente, así que probablemente sabrá cuándo ha hecho algo malo. Desde el primer día, el adiestramiento formará parte importante de su vida. Para adiestrarlo con éxito, usted ha de ser firme, pero no áspero, y jamás rudo.

Al traer el cachorro a casa, puede que él ya esté adiestrado para hacer sus necesidades en un lugar preciso, si bien será hasta cierto límite. No obstante, debe comprender que su hogar y el del criador son completamente diferentes, así que el cachorro deberá reaprender las reglas domésticas. Las puertas no están en los mismos lugares, su fami-

Una buena parte del adiestramiento es la educación básica, o sea, enseñar al perro a hacer las necesidades donde es debido. Esto es esencial para poder llevar adelante una feliz y limpia relación con el Chihuahua.

lia puede que se acueste y se levante a horas diferentes de las de la otra familia, y el perro necesita tiempo para aprender y adaptarse.

La velocidad en el éxito de la educación básica que dé a su perro depende, hasta cierto punto, del ambiente donde viva y de la estación del año. La mayoría de los cachorros son perfectamente felices yendo al patio cuando el tiempo es seco, pero cuando está lloviendo muchos piensan de modo diferente y necesitan mucho estímulo para salir.

Enseñar al cachorro a hacer sus necesidades sobre papel de periódico es siempre útil en las primeras etapas de la educación básica. El papel debe ser colocado junto a la puerta para que el perro aprenda a asociarlo con la salida hacia el exterior. Cuando él haga uso del papel, debe elogiarlo. Obviamente, lo ideal es dejar salir al cachorro tan pronto como muestre signos de desear desahogarse, pero eso también depende de si su casa tiene acceso inmediato al patio, y de si ya tiene las vacunas puestas.

¡El olfato se lo dice todo! Los perros aprenden mucho mediante el olfato, cómo localizar el área de desahogo y si otros perros han estado por allí. El sentido del olfato de los canes es la clave para enseñarles a hacer las necesidades fisiológicas en un lugar específico.

Cuando esté enseñando a su perro dónde hacer las necesidades, llévelo siempre con la correa puesta al área elegida. Si no tiene un patio cercado, tendrá que sacarlo a la calle para que se desahogue.

Recuerde que los cachorros necesitan desahogarse con mucha más frecuencia que los adultos, siempre inmediatamente después de despertarse y de comer. De hecho, no es mala idea sacar al cachorro a hacer sus necesidades cada hora, cuando está despierto. Manténgase alerta, porque un cachorro no es capaz de esperar esos dos o tres minutos extra que usted necesita para sacarlo. Si se de-

mora, él no podrá aguantarse así que ¡apúrese!

A medida que el cachorro crezca, «pedir» que se le saque se convertirá para él en una especie de segunda naturaleza, y será raro encontrar un Chihuahua que ensucie dentro de la casa. Los perros sementales, sin embargo, son susceptibles de comportarse de manera diferente al desear marcar su territorio, por lo que pueden escoger las

La jaula es una herramienta valiosa para el adiestramiento y la protección de los perros. Como la del Chihuahua es tan pequeña y fácil de transportar, puede usarla dondequiera que vaya.

Acostumbrar al Chihuahua a la jaula le va a ser útil en diversas situaciones, como cuando hay que llevarlo al veterinario o a una exposición canina, y también cuando tiene que esperar por el peluquero...

Usted es quien selecciona el lugar donde quiere que su perro se desahogue, y es quien lo entrena para hacerlo allí. Así que escoja un lugar en el patio, fuera del paso, en lugar de seleccionar un ¡jardín florido!

patas de las sillas y las mesas para ¡levantar la pata!

Las órdenes dadas usando palabras sencillas como «Popó», que es mi preferida, son muy útiles. Nunca, nunca olvide elogiarlo cuando haya hecho las necesidades en el lugar deseado. Por el contrario, si lo hace donde no debe, es necesario reprenderlo verbalmente, pero sólo si lo atrapa en el acto. Si trata de regañarlo después de ocurrido el hecho, él no sabrá qué hizo mal y sólo conseguirá confundirlo.

Es esencial limpiar cualquier suciedad de inmediato. Cuando un perro hace sus necesidades en un lugar inapropiado hay que limpiar bien y borrar enseguida todo rastro de olor, porque si él lo percibe volverá a hacerlo en el mismo sitio. Cuando el cachorro sea lo suficientemente maduro para ejercitarlo en lugares públicos, lleve siempre una bolsa de plástico para recoger las deposiciones. En todos los países existe el *lobby* antiperro así que, por favor, ¡no dé motivos para quejas!

EDUCACIÓN INICIAL

Resumen

■ El primer obstáculo a vencer por todo dueño de cachorros es la educación básica, o sea, enseñar al perro a mantener hábitos higiénicos dentro de la casa.

■ Saque al cachorro con frecuencia y aprenda a reconocer las señales corporales indicativas de que necesita hacer las necesidades.

■ Enséñele una orden para desahogarse, así el cachorro siempre le hará saber cuándo necesita salir.

■ Adiestrarlo para desahogarse sobre papel de periódico es una opción cuando se comienza; pronto el cachorro aprenderá que el lugar adecuado para hacer las necesidades es afuera.

■ ¡Sea cuidadoso! Limpie siempre el lugar donde el perro haya defecado u orinado, y recoja todas las heces del patio o de cualquier sitio público.

Las órdenes básicas

El Chihuahua cachorro es alerta e inteligente, o sea, perfectamente capaz de aprender siempre y cuando sea coherente en el adiestramiento.

Sea gentil en la enseñanza y verá cómo él estará encantado de complacerle, sobre todo si puede ver el propósito que hay detrás de lo que está haciendo. A todos los perros les gusta tener una razón para hacer las cosas que sus dueños les ordenan. No pierda de vista que al Chihuahua, además de esa expresión insolente, le sobra espíritu. Algunos dicen que tiene cualidades de terrier, de manera que si usted no le mantiene dentro de un buen régimen de adiestramiento, ¡él podría pasar por encima de su cadáver!

Aunque algunos perros de exposición se adiestran en obediencia, muchos expositores consideran que puede perjudicar su presentación en el ring, así que téngalo en cuenta si planifica exponer al suyo. Al margen

Un ligera presión sobre la grupa y ¡eureka!, ¡ya está sentado!

de ello, a todos los perros se les deben enseñar las órdenes básicas, y cómo debe comportarse correctamente.

En todos los tipos de adiestramiento es esencial conseguir que el perro preste toda su atención al entrenador, lo que muchos obtienen con la ayuda de golosinas, aprende a asociar con los elogios. El siguiente método de adiestramiento incluye el uso de recompensas comestibles, pero con el tiempo, cuando haya conseguido que el adiestramiento se asiente fundamentalmente en el elogio y las recompensas comestibles sean muy ocasionales, podrá eliminarlas. Emplee siempre órdenes muy simples, de una palabra o dos, y haga que las sesiones de adiestramiento sean cortas, para no aburrir al perro. Practique el adiestramiento en un área cerrada y segura.

La orden de sentarse

Tome la correa con la mano izquierda y guarde una golosina en la derecha; deje que el perro huela o lama el premio comestible, pero no se lo dé. Mientras le dice «Siéntate», eleve la mano

El quieto-sentado se consigue usando una combinación de órdenes verbales y señales con las manos, alejándose del perro un poco más cada día.

El ejercicio de echado no es precisamente el que los perros aprenden con mayor facilidad, aunque, sin duda, ayuda mucho usar las golosinas como motivación.

despacio sobre la cabeza del Chihuahua para que él mire hacia arriba. Al hacerlo, doblará las rodillas y se sentará. Cuando lo haga, ofrézcale la golosina y elógielo profusamente.

La orden de caminar

El perro que ha aprendido esta orden caminará al lado de su adiestrador sin tirar. De nuevo, tome la correa con su mano izquierda mientras el perro asume la posición de sentado, junto a su pierna izquierda. Sostenga el extremo de la correa con la mano derecha, al mismo tiempo que controla la otra parte con la izquierda.

Adelante un paso con el pie derecho, diciendo la palabra «Camina». Para empezar, adelante sólo tres pasos, entonces ordene al perro que se siente otra vez. Repita este procedimiento hasta que él haga el ejercicio sin tirar. A partir de entonces, podrá ir incrementando el número de pasos hasta cinco, luego a siete, y así. Elógielo verbalmente al terminar cada parte del ejercicio, y permítale que corra y juegue libremente durante un rato cuando termine la sesión de adiestramiento.

La orden de echarse

Cuando su perro ya se siente correctamente, puede comenzar a enseñarle a echarse. Lo primero que debe entender es que todo perro considera la posición de echado como una posición de sumisión, así que esta orden hay que enseñarla con mucha suavidad y cariño.

Siente al Chihuahua junto a su pierna izquierda, mientras sostiene la correa con la misma mano y guarda una golosina en la derecha. Ponga la mano izquierda sobre la cruz del perro, sin presionar y colóquele la golosina bajo la trufa mientras le dice: «Échate» en un tono de voz tranquilo. Gradualmente vaya moviendo la golosina a lo largo del suelo, frente al perro, mientras le habla con dulzura. Él seguirá el curso de la golosina y, para hacerlo, se irá acostando. Cuando los codos le toquen el suelo, déjele tomar la golosina y elógiele, pero trate de que permanezca así unos segundos, antes de permitirle que se incorpore. Gradualmente podrá incrementar el tiempo de duración del ejercicio.

La orden de quieto

El «Quieto» puede enseñarse tanto con el perro sentado como tumbado; como siempre, tomará la correa con la mano izquierda y la golosina con la derecha. El perro debe estar a su izquierda, ahora muévase hasta colocarse frente a él y permítale lamer la golosina, mientras le dice «Quieto» al mismo tiempo. Cuente hasta cinco para sus adentros, vuelva entonces a la posición original al lado del perro, y permítale tomar la golosina mientras lo elogia efusivamente.

Durante algunos días continúe practicando el «Quieto» de la misma manera, y comience a incrementar gradualmente la distancia que lo separa del Chihuahua mientras levanta la mano y dirige la palma hacia él, para indicarle con ese gesto que debe quedarse en el mismo lugar. Pronto podrá hacer este ejercicio sin la correa y verá cómo el Chihuahua se mantiene quieto por períodos de tiempo cada vez más largos. Al termi-

nar el ejercicio, alábele siempre de manera muy efisiva.

La orden de vivir

Al Chihuahua le encantará venir cuando lo llame. El secreto está en invitarlo a venir y esperarlo

Cuando se trata de adiestrar a Chihuahuas o cualquier otra raza pequeña, es necesario agacharse para estar a su nivel y así ejercer un mejor control sobre el perro sin intimidarlo.

con una golosina y montones de elogios. Nunca lo llame para regañarlo, el hecho de venir hacia usted siempre tiene que ser positivo. Es muy importante que los perros aprendan a venir porque eso garantizará que regresen cuando estén en peligro o fuera de la vista. Tenga especial cuida-

Las órdenes básicas

Los Chihuahuas son *vedettes* naturales y les encanta hacer trucos, como danzar sobre sus patas traseras, con el objeto de ganarse una golosina.

La correa extensible puede usarse cuando el Chihuahua ya esté adiestrado para caminar junto a su amo. Es una manera segura de proporcionarle un área mayor para explorar, pues puede extenderse y recogerse en caso de que el dueño desee que el perro se mantenga cerca de él.

do de no llamar nunca al perro en medio de una situación peligrosa, como en medio de una calle llena de tráfico.

Trucos

El Chihuahua es verdaderamente un personajillo encantador, capaz de aprender algunos trucos. Usted puede enseñarle lo que desee, pero algunos perros aprenden a ofrecer la mano, mientras que a otros les gusta sentarse y «pedir», lo que por supuesto resulta particularmente simpático.

LAS ÓRDENES BÁSICAS

Resumen

■ Comience correctamente el adiestramiento de obediencia básica; elija un lugar tranquilo y seguro, haga que las lecciones sean cortas y positivas, y utilice las golosinas y el elogio para motivar y premiar.

■ Haga que el cachorro le atienda, y conserve la atención.

■ Las órdenes básicas incluyen: Ven, Siéntate, Quieto, Échate y Camina.

■ Agáchese para ponerse al nivel del Chihuahua cuando le esté enseñando las órdenes y guiándolo hacia las posiciones que les corresponden.

■ Practique diariamente para que el Chihuahua aprenda siempre a hacer las cosas bien.

■ Diviértase enseñando a su Chihuahua algunos trucos.

Como ama a su Chihuahua querrá conservarlo en un estado óptimo de salud durante los quince o dieciséis años –e incluso más– que puede durar su vida.

Con el tiempo habrá aprendido a conocer a su mascota, como le pasaría con un niño, y a saber cuándo no se siente bien. Conocer a su perro le ayudará a reconocer si tiene problemas, y poder llevarlo al veterinario sin demora cuando sea necesario.

Cuidados dentales

Es su responsabilidad mantener los dientes de su perro en buenas condiciones. Se lo debe, porque los problemas dentales no se limitan a la boca. Las infecciones de las encías pueden desencadenar toda suerte de problemas de salud, diseminarse por todo el sistema e, incluso, conducir a la muerte. Los perros miniatura son particularmente propensos a padecer problemas dentales.

Con un cepillo de dientes muy pequeño y un dentífrico

Si el Chihuahua parece estar como «apagado», y no se muestra tan activo y entusiasmado como de costumbre, puede que esté padeciendo un problema de salud, y ello merece una visita al veterinario.

especialmente diseñados para perros puede limpiar los dientes del Chihuahua con mucha suavidad y cuidado. Sea más cuidadoso aún, si alguno de los dientes está suelto. Al principio puede que a su perro no le guste mucho este proceder, pero si lo practica con regularidad se acostumbrará. Los criadores experimentados usan a veces un raspador dental especial, pero como es un instrumento que puede lastimar al perro, sobre todo si es de una raza miniatura, no recomendaría su uso a un propietario novel.

Cuando le limpie los dientes, revísele las encías para comprobar si están inflamadas. Si se ven rojas o hinchadas, hará falta ir al veterinario.

Primeros auxilios

Los accidentes pueden ocurrir, y en tal caso, usted debe permanecer tranquilo, sereno y sosegado para que pueda ayudar a su Chihuahua.

Las picaduras de insectos son bastante frecuentes. Si el aguijón está aún en la piel, debe extraerlo con la ayuda de unas pinzas. Puede aplicar hielo para

Los juguetes hechos con sogas son mordedores seguros para los perros, y tienen la ventaja adicional de funcionar como hilo dental porque se introducen entre los dientes cuando el perro los mordisquea.

¡Un trío de felices viajeros! A los dueños de Chihuahuas les encanta que sus perros formen parte de su vida a cualquier lugar que vayan, y hagan lo que hagan.

reducir la inflamación y dar al perro una dosis prudente –¡pregunte al veterinario!– de algún antihistamínico. Si el aguijón está dentro de la boca, consulte al veterinario.

El envenenamiento accidental es también preocupante, porque los perros lo investigan todo y no todos los sitios son seguros. Si sospecha que el suyo puede estar envenenado, trate de investigar la fuente, porque el tra-

tamiento puede variar según el tipo de veneno ingerido. El vómito o la súbita hemorragia en cualquier lugar de secreción, como las encías, puede indicar envenenamiento. Es esencial la atención veterinaria con carácter urgente.

Las pequeñas magulladuras o laceraciones deben limpiarse completamente, y luego aplicarles un antiséptico. En caso de sangrado severo, empiece

¡Delicioso y portátil Chihuahua! ¿Quién se conforma con tener sólo uno?

por presionar el área en cuestión. En las quemaduras menores aplique agua fresca.

En caso de un estado de choque, como consecuencia, por ejemplo, de un accidente automovilístico, mantenga el calor corporal del perro mientras busca ayuda veterinaria lo más pronto posible.

En caso de un golpe de calor, debe aplicarle inmediatamente agua fría, especialmente sobre los hombros. En los casos severos, el perro debe ser sumergido en agua hasta el cuello, si es posible. Los perros pueden morir rápidamente de un golpe de calor, así que la atención veterinaria urgente es de la máxima importancia. En el otro extremo está la hipotermia, en cuyo caso debe elevar la temperatura corporal del perro con la ayuda de botellas de agua caliente y darle un baño caliente, al mismo tiempo que llama al veterinario.

CUIDADOS DOMÉSTICOS

Resumen

■ Conozca los signos del bienestar para que pueda darse cuenta cuándo el Chihuahua puede estar padeciendo problemas de salud.

■ La atención dental constituye una parte importante del cuidado casero sistemático que se proporciona a los perros miniatura. Cepille los dientes del Chihuahua cuidadosa y regularmente, y manténgase alerta sobre cualquier señal de que las cosas no van bien.

■ Familiarícese con los síntomas de las enfermedades y con las técnicas de primeros auxilios caninos. Permanezca tranquilo mientras los administra y busque ayuda veterinaria tan pronto como sea posible.

Alimentación del
Chihuahua

Como el Chihuahua es tan pequeño será fácil darse cuenta si se está pasando de kilos, ¿o sería mejor decir, de gramos?

Un perro obeso es más propenso a las enfermedades que aquel que tiene el peso correcto. No sólo porque el corazón y las articulaciones están sometidas a presión adicional, sino también porque hay más probabilidades de riesgo en caso de que haya que usar anestesia.

Si alimenta a su perro con alimento seco, es importante elegir una descrita por el fabricante como adecuada para «mordida pequeña», en lugar de darle el granulado grande, diseñado para un animal de más envergadura.

Actualmente contamos con una gran variedad de comidas caninas especialmente preparadas, muchas de las cuales están científicamente equilibradas y adaptadas para las diferentes edades. La comida que decida dar a su perro será asunto de preferencia

¡Comida! ¡Me da hambre sólo de
pensar en ella!

personal, aunque al principio seguramente estará influenciado por el tipo y la marca que le ha estado dando el criador. Claro que se puede cambiar la dieta, pero nunca haga los cambios de modo súbito, porque su Chihuahua se enfermará del estómago. Vaya introduciendo gradualmente la nueva marca de comida hasta que la antigua haya quedado completamente sustituida. No suele haber problemas en cambiar el sabor, siempre que se mantenga dentro de la misma marca. Con eso puede dar cierta variedad a la dieta, o también puede que prefiera añadirle un poquito de sabor para tentar al paladar.

Si decide alimentar a su perro con comida seca, asegúrese de leer completamente las instrucciones sobre cómo dársela. Algunas necesitan que se las humedezca, sobre todo cuando se trata de perros jóvenes. También es necesario guardar cuidadosamente la comida seca, porque su valor vitamínico disminuye si no se usa con prontitud, por lo general dentro de un plazo de tres meses. Es esencial proporcionar al perro agua fresca

Durante las primeras semanas de vida no hay comida mejor para los cachorros que la leche de su madre.

Los recipientes elevados contribuyen a que el perro asuma una postura más natural mientras come, y por eso favorecen la digestión.

abundante, en especial cuando lo está alimentando con este tipo de comida, aunque está de más decir que los perros siempre deben tener acceso al agua.

Debido a la enorme cantidad y variedad de productos disponibles puede encontrar difícil escoger uno sin el consejo de una persona experimentada con el Chihuahua. Tenga presente que en la madurez, los perros activos necesitan mayor cantidad de proteína que los que llevan una vida sedentaria. No debe dárseles alimentos que contengan chocolate ni tampoco cebolla, porque son venenosos para ellos.

Algunos dueños prefieren las comidas frescas. En este caso es necesario asegurarse completamente de que la dieta que uno le está proporcionando al perro esté equilibrada, y de excluir elementos dañinos, como los huesos de pollo cocinados. Hay muchos que abogan por las comidas crudas, una dieta más natural. Los dueños interesados deben autoeducarse sobre cómo preparar correctamente comidas frescas capaces de proporcionar una nutrición completa y equili-brada. Los vegetales cocidos son también beneficiosos dentro de este tipo de dietas.

Muchos dueños sienten la tentación de dar a sus perros bocadillos y golosinas entre comidas, pero no es bueno hacerlo porque pueden engordar sin que uno se dé cuenta. Una alternativa muy apropiada es darles de vez en cuando un trozo de zanahoria. A la mayoría de ellos ¡les encanta! Las zanahorias no los hacen engordar y en cambio son útiles para mantenerles limpios los dientes.

El número de veces que alimente a su perro al día va a depender, probablemente, de su preferencia personal y de la agenda familiar, pero la mayoría de los propietarios dan dos comidas diarias. Algunos dan a sus perros, incluso, hasta tres pequeñas comidas. A los cachorros hay que alimentarlos con más frecuencia que a los perros adultos. En este sentido, el criador puede darle buenos consejos acerca de los cambios en el programa de alimentación, y la transición de la comida del cachorro a la que se le da al adulto.

¡No olvide el agua! Es un elemento importante para el perro en todo momento, así que lleve siempre agua a cualquier lugar que vaya.

Alimentación del
Chihuahua

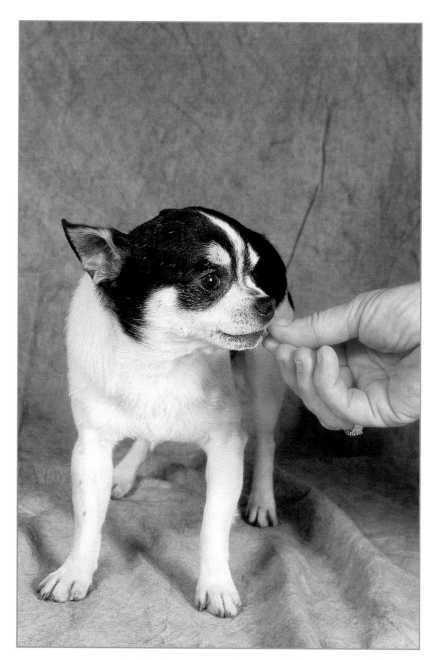

¡Todos los perros responden ante un sabroso bocadillo! Recuerde, no obstante, que en el caso del diminuto Chihuahua es muy fácil sobrepasarse si se les dan demasiadas golosinas fuera de las comidas.

A medida que el perro enve-
jece cambia su metabolismo,
por lo que sus necesidades ali-
menticias también pueden mo-
dificarse. Ello puede conllevar
cambiar el volumen de las por-
ciones y el programa de comidas, así como, posiblemente,
variar hacia una dieta de perros
ancianos. Para ese entonces, por
supuesto, ya conocerá bien a su
mascota por lo que será capaz

No necesita
recipientes
grandes para el
Chihuahua, sólo
cerciórese de que
están hechos de
material duradero
y que son fáciles
de limpiar.

de ajustarle la comida correctamente. Si tiene alguna duda, su
veterinario podrá guiarle en la
dirección correcta.

ALIMENTACIÓN DEL CHIHUAHUA

Resumen

■ Cuando se trata de alimentar al Chihuahua, la calidad cuenta.
Proporcionarle una comida canina completa y equilibrada es la manera
más confiable y conveniente de alimentarlo óptimamente.

■ Analice con el veterinario y/o criador el programa de alimentación y la
cantidad de comida que debe dar al Chihuahua en las diferentes etapas
de su vida.

■ Escoja una comida de «pequeña mordida» para el diminuto Chihuahua.

■ Evite darle muchas golosinas porque puede ponerse obeso rápidamente.

■ Autoedúquese en cuanto a nutrición, si decide preparar usted mismo la
comida de su perro.

■ La salud de su Chihuahua descansa en la dieta correcta.

El acicalado del Chihuahua, comparado con el de muchas otras razas, es mínimo, no importa si tiene el pelo corto o largo.

Compare a su Chihuahua de pelo largo con un Lebrel Afgano ¡y se dará cuenta de la suerte que tiene! Y digo suerte, pero hay que reconocer que la mayoría de los dueños disfrutan acicalando a sus perros, placer que éstos comparten si no se les ha abandonado al punto de tener el pelo hecho un desastre.

Lo ideal es acicalar al Chihuahua sobre una mesa estable, cuya superficie no sea resbaladiza. Los dueños de perros de esta raza no utilizan exactamente el mismo equipamiento, porque cada uno elige el que más cómodo le resulta. Cuando se esté tratando el asunto de la venta del cachorro, es muy bueno escuchar los consejos del criador sobre el acicalado, aunque seguramente usted terminará desarrollando su propia rutina.

Los Chihuahuas de pelo largo llevan más acicalado que los de pelo corto, factor a tomar en cuenta por toda persona que esté considerando adquirir un Chihuahua.

Cuidados del pelaje

Al margen de la frecuencia con que decida bañar a su Chihuahua, es esencial mantenerle limpio el pelo, y acicalarlo regularmente. Resulta beneficioso revisarle el manto todos los días, para comprobar que todo está bien. Aunque los Chihuahuas de pelo largo no son particularmente propensos a los nudos y enredos, es necesario cepillarlos sistemáticamente para extraer el pelo muerto.

Aunque la hierba alta resulta fresca en los días cálidos, también expone al perro a los insectos, los alérgenos y otras sustancias irritantes. Aproveche el acicalado para inspeccionarle la piel y el pelaje.

No puede faltar en el equipo un cepillo de cerdas suaves, aunque algunas personas prefieren usar un peinecillo de goma, tipo almohaza, para dar masaje y estimular la piel.

Incluso pasarle la mano a modo de masaje a favor del crecimiento del pelo contribuye a mantenerle el manto lustroso.

En el caso de los perros de pelo corto, algunas personas prefieren usar un paño de terciopelo o gamuza para dar el toque final. Hay guantes de acicalado ajustables, de piel suave por un lado y terciopelo por la otra. Resultan más útiles con los Chihuahuas de pelo corto.

El acicalado sistemático mantiene al Chihuahua lozano ¡como una flor!

Las manchas lacrimosas pueden ser un problema en el caso de los Chihuahuas. Un toque de grasa protectora bajo cada ojo puede contribuir a minimizar el problema, además de que sirve para proteger la piel. Las manchas producidas por las lágrimas pueden eliminarse con la ayuda de un producto limpiador y un algodón suave.

El baño del chihuahua

Algunos de los dueños de Chihuahua que exhiben a sus perros gustan de bañarlos antes de cada exposición, especialmente si son de pelo largo. Otros prefieren bañarlos con menor frecuencia. En cualquier caso, un baño breve más o menos mensual no viene mal. El Chihuahua es lo suficientemente pequeño como para bañarlo en el fregadero, si le resulta más cómodo que la bañera. Si acostumbramos al cachorro al baño desde pequeño, lo aceptará como parte del proceso de acicalado cuando sea adulto.

Cepille siempre al Chihuahua completamente antes del baño, luego colóquelo sobre una superficie no resbaladiza y pruebe la temperatura con el dorso de la mano. Use un champú canino y no uno para personas, y tenga cuidado de que no le caiga agua en los ojos y oídos. Lo mejor es dejar la cabeza para el final, a fin de que el champú no se le escurra hacia los ojos mientras usted está concentrado lavando otras partes del cuerpo. Asegúrese de alcanzar todas las partes difíciles de la anatomía, no olvide nada.

Saque al Chihuahua del fregadero o la bañera con mucho cuidado y envuelto en una toalla limpia. Séquelo con un pequeño secador de aire, ajustando el calor al mínimo nivel, o mantenga al perro frente a un ventilador de calefacción suave para que reciba el aire cálido, sin olvidar que a muchos no les gusta que les dé en la cara. Hasta que el pelo no esté completamente seco, manténgalo dentro de casa, lejos de las corrientes de aire.

Ojos y oídos

Es importante mantener limpios los ojos y oídos del Chihuahua. Sus ojos están particularmente expuestos al polvo y

La mesa de acicalado hace el arreglo más fácil, tanto para el perro como para el dueño. Al perro se le enseña a mantenerse quieto sobre la mesa durante las sesiones de embellecimiento, y usted lo tiene a una altura cómoda para trabajar sobre él.

Acicalado del Chihuahua

Dos de las marcas de fábrica del Chihuahua: sus grandes ojos y orejas, necesitan cuidado y atención especial. La rutina de acicalado debe incluir eliminar las manchas de los lagrimales, limpiarle las orejas, y revisarle los ojos y los oídos para mantenerlos sanos.

la suciedad porque anda muy cerca del suelo. La zona ocular debe limpiarse con cuidado, para lo cual puede usarse uno de esos limpiadores especiales que venden en las buenas tiendas para mascotas.

Ante cualquier señal de lesión en los ojos, o si toman una coloración azul, debe llevarlo al veterinario inmediatamente. Las lesiones en los ojos tienen posibilidades de curarse si se las trata a tiempo. Si se descuidan, pueden conducir a la ceguera.

Si su perro ha estado sacudiendo la cabeza o rascándose las orejas puede tener una infección o ácaros auriculares. Otro indicio de estos problemas, frente a los cuales es necesario consultar de inmediato al veterinario, son una secreción espesa de color pardo y mal olor.

Si tiene un Chihuahua de pelo corto, debe prestar especial atención a las orejas porque pueden ponerse grasosas, caerse el pelo y la piel quedar al desnudo. Hay diferentes remedios, pero uno de ellos es utilizar un jabón antibacteriano ligero. Cuando la oreja esté seca hay que cepillarla diariamente con un cepillo suave de bebés, hasta que vuelva a crecerle el pelo.

Uñas y pies

Las uñas siempre deben llevarse cortas; la frecuencia del corte depende mucho de la superficie sobre la cual camina el perro. Aquellos que caminan principalmente sobre alfombras o hierba necesitan más atención en las uñas que los que caminan regularmente sobre superficies duras.

Debe adiestrar a su Chihuahua desde pequeño para que acepte el corte de uñas. Ponga mucha atención para no cortar el vaso sanguíneo que discurre por dentro de la uña, porque eso duele. Le recomiendo que tenga a mano un lápiz o algún tipo de polvo estípticos para detener el sangrado en caso de un accidente. Lo mejor es cortar sólo una pequeña fracción de uña. También debe inspeccionar sistemáticamente los pies del perro para comprobar que no se le haya metido o incrustado algo entre las almohadillas plantares.

Acicalado del Chihuahua

En la tienda para mascotas encontrará cortaúñas caninos especiales con los que podrá cortarle las uñas al suyo sin grandes problemas. El corte de uñas no suele ser una experiencia agradable para los perros, por eso lo mejor es esforzarse porque no les duela.

Glándulas anales

Las glándulas anales del perro están ubicadas a ambos lados de la abertura anal. A veces se congestionan y necesitan que se las descargue. Los criadores experimentados suelen hacerlo ellos mismos, pero a los dueños de mascotas les recomendaría que dejaran que lo hiciera el veterinario. Cuando las heces son firmes, las glándulas anales evacuan naturalmente. No le dé demasiada carne al Chihuahua, porque provoca que las heces sean blandas y negras, e incluso puede conducir al perro a padecer dolorosas úlceras anales.

ACICALADO DEL CHIHUAHUA

Resumen

■ Aunque ninguna de las dos variedades de Chihuahua requiere gran acicalado, el mantenimiento correcto del pelaje es una parte vital del programa integral de cuidados de salud del perro y debe comenzarse desde que el cachorro es pequeño.

■ El dueño de un Chihuahua debe atender el pelaje de su perro, así como sus uñas, oídos, ojos y glándulas anales.

■ Los dueños de Chihuahuas mascotas suelen bañar a sus perros una vez al mes, más o menos.

■ Cuando se trata de padecimientos de los ojos o los oídos, los dueños no deben perder tiempo para buscar tratamiento veterinario. La atención médica oportuna puede marcar la diferencia entre un problema fácilmente tratable y un daño permanente.

Cómo mantener activo al Chihuahua

Al Chihuahua, como a todos los perros, le encanta investigar nuevos lugares y olores.

Esto hace que sus sentidos se mantengan alerta, y probablemente le ofrece un material de maravillas para soñar cuando, en medio de un activo día, encuentra un momento para dormitar. El ejercicio físico también le proporciona estímulo al cerebro. Aun cuando el Chihuahua es más pequeño que los perros de otras razas, requiere realizar ejercicio como todos los demás.

Algunos Chihuahuas, si están adiestrados para eso, son bastante obedientes cuando no tienen la correa puesta, pero usted debería tener presente, por encima de todo, que ésta es la más diminuta de todas las razas y el encuentro con perros más grandes y pesados puede terminar en accidente con demasiada facilidad, especialmente si el Chihuahua decide mantenerse firme, ¡y esté seguro de que

Las actividades favoritas del Chihuahua son todas las que pueda hacer con su dueño. Es un activo y divertido compañero, de tamaño portátil.

lo hará! A menos que esté acostumbrado a los niños, puede también que se enfrente a los pequeños que se le acerquen inesperadamente, así que manténgase atento cuando lo esté paseando. Lo más sano es mantenerlo en las áreas públicas con la correa puesta. Es también importante no dejar al Chihuahua húmedo después de haber estado haciendo ejercicio bajo el mal tiempo.

Si tiene más de un Chihuahua, ellos se proporcionarán ejercicio mutuamente, jugando juntos. Pero si sólo tiene uno tendrá que convertirse en su compañero de ejercicio. Puede encontrar muchas cosas divertidas y entretenidas que hacer en su propia casa o patio.

Existen muchas actividades para mantener al Chihuahua mentalmente estimulado. Por ejemplo, los Chihuahuas se usan actualmente en el trabajo terapéutico, visitando asilos y hospitales para llevar alegría a los residentes. La pequeña talla de la raza y su naturaleza desenvuelta y sociable hacen de estas visitas algo que los pacientes de los hospitales y los ancianos de los asi-

¡Juguetes para un juguete! A su perro le encantarán los que son inofensivos y de tamaño especial para perros superpequeños.

Un corral de alambre, conocido como «corral abierto», resulta útil para mantener seguros a los perros en el exterior.

Los Chihuahuas son capaces de triunfar en las competencias de Agility, cuando se hacen para las razas pequeñas.

viene a la mente cuando pensamos en las competencias de Agility. Los Golden Retrievers y los Border Collies parecen más inclinados a ello que nuestro pícaro compañero de cuarto. Las razas miniatura, como el Chihuahua, pueden competir en Agility, pero los obstáculos tienen que ser más pequeños. No importa cuánto talento puedan tener, nunca superarán a un Border Collie.

Aun cuando su Chihuahua no participe de ninguna de es-

Los Chihuahuas son excelentes perros escucha, por eso se desempeñan como asistentes de personas con deficiencias auditivas.

los ansían en gran medida. Tampoco es ajeno al Chihuahua el trabajo de «perro escucha». Se trata de perros especialmente adiestrados para alertar a los sordos cuando escuchan sonidos importantes, como el del teléfono, el timbre de la puerta, el silbido de las ollas, u otros.

En algunos países, los Chihuahuas participan incluso en certámenes de Obediencia, aunque debemos reconocer que ésta no es la primera raza que nos tas actividades, usted y él pueden disfrutar juntos de interminables horas de diversión. A él le favorece mucho todo el tiempo que pasa en su compañía, y le encantará jugar con juguetes apropiados que no le causen daño. No son recomendables, por ejemplo, en el caso del Chihuahua, aquellos que sirven para forcejear porque pueden perder la dentadura en el intento. Revise regularmente los juguetes pa-

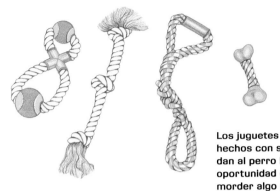

Los juguetes hechos con sogas dan al perro la oportunidad de morder algo sin correr riesgos, pero nunca deben usarse para forcejear y tirar de ellos.

ra comprobar si hay partes rotas que puedan lastimar accidentalmente al perro.

CÓMO MANTENER ACTIVO AL CHIHUAHUA

Resumen

■ El ejercicio proporciona al Chihuahua estímulo físico y mental.

■ Es mejor mantener al Chihuahua con la correa puesta cuando se encuentre en áreas públicas. Tenga presente siempre, y en primer lugar, la seguridad de su diminuto amigo.

■ Considere el trabajo terapéutico como un medio de mantener activo a su perro y brindar felicidad a otras personas.

■ Los Chihuahuas pueden ser adiestrados como asistentes.

■ Al margen de su talla, el Chihuahua puede competir en Obediencia y Agility.

■ La mejor manera de mantener activo al Chihuahua es compartir actividades con él.

CAPÍTULO
14

El Chihuahua
y el veterinario

Una de las ventajas del Chihuahua es su tamaño, sobre todo a la hora de llevarlo al veterinario.

Su mascota puede sentarse cómodamente en su regazo, o puede acomodarse en un ligero maletín portaperros, o en su jaulita, si le resulta cómodo ser transportada de esa manera. Cualquiera de estos métodos le ayudarán a protegerlo de la curiosidad impertinente de los perros mayores, ya que el Chihuahua puede sentirse un poco marchito y necesitar algo de paz y quietud. Lo aconsejable es establecer contacto con el veterinario desde el principio, en parte para que el perro y él se vayan familiarizando. Es obvio que si el cachorro no ha terminado de ponerse todas las vacunas, tendrá que llevarlo al veterinario de todas formas, pero lo más aconsejable es someterlo a un reconocimiento general casi enseguida de haberlo llevado a la casa.

Muestre a su Chihuahua cuánto le quiere, procurándole atención veterinaria.

Si no tiene ya un veterinario, debe proceder a seleccionar uno cuidadosamente. Lo mejor sería que el criador u otro dueño cuya opinión le merezca confianza, le recomendaran alguno. La ubicación del veterinario también debe tenerse en cuenta, porque es importante poder llegar con rapidez a la consulta en casos de emergencia, y también que el veterinario responda con presteza cuando sea necesario. Si vive en un área rural, asegúrese, por favor, de escoger un veterinario con experiencia en animales pequeños. Muchos la tienen con animales de granja, pero lamentablemente no con perros; esto es algo que tuve que aprender por experiencia propia.

Es fácil llevar al diminuto y portátil Chihuahua al veterinario.

Vacunas

Las vacunaciones de rutina varían un tanto de acuerdo con el lugar donde viva y del tipo de vacuna que use el veterinario. Él le dirá en qué momento hay que ponerle cada una, cuándo podrá ejercitar al perro en áreas públicas después de completar

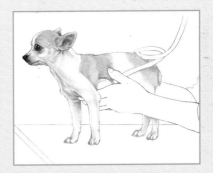

Todos los perros, (¡y todas las personas!), necesitan que les hagan chequeos periódicos. Acuerde con el veterinario con qué frecuencia llevará al perro.

el programa de inmunización, y cuándo habrá de reactivárselas. Muchos veterinarios han adoptado la costumbre de enviar recordatorios a los dueños acerca de las reactivaciones, pero usted también puede anotarlo en su propio calendario. Si se descuidan las reactivaciones, es probable que haya que comenzar el programa íntegro otra vez. En caso de que esté en la consulta veterinaria para iniciar el programa de vacunación de su perro, no le permita acercarse mucho a los otros que se encuentran en la sala de espera, y mucho menos ¡al suelo!

Algunas personas prefieren no someter a sus animales a las vacunaciones rutinarias, y optan por las alternativas homeopáticas. Este procedimiento tiene que seguirse al pie de la letra, de modo que debe informarse y dejarse guiar por un veterinario que practique también la homeopatía. Además, tenga presente que probablemente le será difícil encontrar una guardería que acepte perros sin la documentación que acredite haber completado el programa de vacunaciones de rutina. También deberá obedecer las ordenanzas municipales en relación con ciertos tipos de vacunas, como la antirrábica.

Cuidados preventivos

Si ha comprado el cachorro a un criador verdaderamente consagrado, tanto la madre como toda la camada habrán recibido todos los cuidados. Ella habrá sido examinada regularmente por el veterinario, se le habrán reactivado las vacunas y se la habrá desparasitado. Todo ello es de provecho para los cachorros porque les brinda un grado mayor de inmunidad.

También es de gran importancia, antes de hacer la monta, haber realizado todas las pruebas recomendadas para detectar anomalías genéticas. Un criador genuinamente cuidadoso y ético sólo reproducirá con perras y sementales sanos.

Reconicimientos veterinarios

Cuando su Chihuahua vaya al veterinario para las reactiva-

Revise los dientes del Chihuahua y asegúrese de que le hagan un examen dental en cada chequeo veterinario. Las razas miniatura son propensas a padecer problemas dentales.

ciones de las vacunas, debe someterlo también a un ligero reconocimiento médico. Si su veterinario no lo hace por sí mismo, pídale que le haga un examen cardiaco al perro el día que vaya a la consulta, sobre todo si ya pasó de la mediana edad.

Esterilización

Esterilizar al perro es un asunto de elección personal, pero algo que yo no haría a menos que fuera preciso por padecer una enfermedad. En cualquier caso, no permita, por favor, que el veterinario esterilice a su perra hasta que pase su primer celo. El mejor momento es entre un período y otro.

Si decide esterilizar a su perro, sea macho o hembra, tendrá que controlarle el peso cuidadosamente. En algunos casos, los machos agresivos o muy dominantes pueden hacerse más tratables después de la esterilización, pero no siempre es así.

Obviamente, hay algunas razones de salud que requieren de tales operaciones, sobre todo la piómetra, que demanda generalmente la extirpación de los ovarios. En el caso de los machos que tienen un solo o ningún testículo descendido en el escroto, puede que el veterinario le recomiende la castración para prevenir el cáncer. Los Chihuahuas son sensibles a la anestesia. Analice el asunto con atención con su veterinario.

Cómo reconocer los síntomas

Si ama a su Chihuahua y pasa mucho tiempo con él, se dará cuenta cuándo hay algo que no anda bien. Tal vez rechace la comida o parezca atontado o indiferente. Sus ojos, generalmente brillantes y vivos, puede parecer que han perdido su chispa, y el pelo verse más apagado que de costumbre.

Los hábitos de desahogo también pueden indicar problemas de salud. Las diarreas se curan, por lo general, en veinticuatro horas, pero si perduran y, especialmente, si contienen sangre, habrá que consultar al veterinario.

Los perros viejos requieren cuidados especiales y es posible que necesiten visitar al veterinario más frecuentemente para mantener su salud.

También observe si el perro está más sediento y si orina con mayor frecuencia, porque eso puede estar evidenciando un problema.

Párasitos

Es esencial cuidar el pelo del perro para evitar que los parásitos se alberguen en él y deterioren la piel. No siempre es fácil verlos, pero si detecta una sola pulga, puede estar seguro de que habrá más. En la actualidad hay varios buenos preventivos contra parásitos externos que su veterinario podrá recomendarle, aunque en algunos países los mejores remedios no se venden en las tiendas.

También esté siempre al tanto de los ácaros de los oídos. A éstos no podrá verlos, pero si observa algún tipo de secreción marrón y las orejas despiden olor, es evidente que están presentes. Su veterinario podrá indicarle el tratamiento correspondiente.

Cualquier perro puede también portar parásitos intestinales en forma de gusanos. Las ascárides son las más habituales, y las tenias, aunque menos frecuentes, pueden ser aún más debilitadoras.

Sea grande o pequeño su perro, su compromiso para mantener sano y libre de parásitos a sumascotas es exactamente el mismo.

Donde hay flores puede haber ¡abejas! Parte de los cuidados caseros es saber cómo enfrentar situaciones de primeros auxilios.

Las filarias son transmitidas por ciertos mosquitos y actualmente las padecen la mayoría de los perros de casi todo el mundo. Con el incremento de los viajes caninos de un país a otro, debemos estar al tanto de los posibles contagios, porque estos animales pueden ser muy peligrosos.

La desparasitación sistemática es esencial durante toda la vida del perro; lo mejor es seguir las recomendaciones veterinarias para establecer un régimen preventivo.

EL CHIHUAHUA Y EL VETERINARIO

Resumen

■ Escuche recomendaciones y elija un veterinario fiable y experimentado que no viva lejos.

■ Después de llevar al Chihuahua a casa, visite al veterinario para que lo examine. Infórmele de la sensibilidad de la raza a la anestesia.

■ Analice con el veterinario el programa de vacunación.

■ Los parásitos, como pulgas y garrapatas, así como los internos, en forma de gusanos, pueden conducir a enfermedades que deben ser prevenidas.

■ Observe de cerca la conducta del Chihuahua, porque cuando se comporte de manera no habitual puede estar evidenciando un problema de salud.

■ Discuta con el veterinario y con el criador todo lo relacionado con la esterilización de su perro.